# Louna
## y las estrellas
# mágicas

**Nadja**
**Julie Camel**

**Traducción: Javier Dávila**

V&R
EDITORAS

# Louna hace un amigo

Louna vive en una pequeña aldea en las montañas de la cordillera del **Atlas**, en Marruecos. Los hombres salen todas las mañanas con los rebaños de cabras y carneros, y suben a las mesetas, donde hay más vegetación. A veces, se quedan allí varios días y duermen en tiendas. A Louna le gustaría acompañar a su padre y dormir bajo las estrellas.

Pero los niños se quedan en la aldea con las mujeres y cuidan a las crías de los animales, demasiado pequeñas para formar parte del rebaño. Ese día, un cordero se escapa por debajo del cerco y corre entre los arbustos hasta un manantial. Louna lo alcanza a tiempo.

Con el animalito en brazos, se sienta
en una roca y admira los reflejos plateados
de los peces que nadan en el agua
transparente. En el fondo, sobre la
arena, unos destellos intensos
le llaman la atención.

Son pequeñas piedras que brillan como diamantes. Sumerge la mano en el agua, toma una por una y se las pone sobre las piernas.

*Qué bonitas son. Voy a hacer un collar,* piensa Louna.

De pronto, pasa una sombra como
una nube. A su lado, aparece un muchacho
vestido con una **chilaba** azul.
Nunca lo había visto, y eso que conoce
a todos los niños de la aldea. Se levanta
rápidamente, un poco asustada.

Las pequeñas piedras ruedan hasta sus pies,
y el muchacho se inclina para recogerlas.
—Parecen estrellas —le dice a Louna cuando
se las devuelve.
—Es verdad —contesta Louna mirándolas
detenidamente.

Con los rostros cerca, se sonríen.
—Me llamo Omar —dice el muchacho—.
Llegué en la mañana y mi campamento
está algo más arriba. ¿Quieres verlo?

Omar pertenece a una tribu de **nómadas**
que instalaron sus tiendas cerca de la aldea.
Las pusieron al pie de un acantilado para
refugiarse, porque parece que se avecina
una tormenta.

Louna recibe la bienvenida de la mamá
de Omar, que está tejiendo una hermosa
alfombra.

–Vengan todos por la tarde –le dice–.
Así nos conocemos.

Omar le enseña a Louna los hermosos
caballos, los camellos y los burros
que descansan junto a las tiendas.
–Si quieres, te llevaré a dar un paseo.

# Capítulo 2

# Una fiesta
# con los nómadas

De regreso a la aldea, Louna avisa
a su madre y a las otras mujeres. A ellas
les agrada la idea de pasar una buena
velada y comienzan a preparar cosas ricas
que les llevarán a los viajeros. Hacen pan
en un horno de barro, preparan la masa
de almendras para los **cuernos de gacela**, y
cortan las verduras que pondrán en los **tayín**,
o platos grandes de barro, perfumados
con hierbas aromáticas.

Mientras todas trabajan, Louna se va al taller donde fabrican joyas. Hace pequeños orificios en las cinco piedras que encontró y las cuelga de una hebilla de cinturón. Este será su regalo para Omar.

Por la tarde, bajo la luz dorada, todos
los aldeanos, vestidos con sus mejores
galas, ascienden al campamento
de los **nómadas** llevándoles
sus regalos.

Cuando Louna le entrega su regalo a Omar,
los niños los rodean con curiosidad. Al ver
la hebilla de cinturón, se ponen a reír.
–¡Ja, ja! ¡Son guijarros!
Louna baja la cabeza, avergonzada.

Las piedras se ven deslucidas, ahora que el agua no las hace brillar. Ya no parecen la gran cosa. Pero Omar recibe la hebilla mirando a Louna a los ojos.
—Será mi amuleto. Lo conservaré toda la vida.

Comienza la fiesta. Dentro, todos disfrutan,
tocan música y narran cuentos sentados
en hermosas alfombras y cojines bordados.

Fuera, los niños juegan y bailan juntos.
Louna y Omar se toman de las manos
sentados junto al fuego y miran cómo
bailan las llamas.

De pronto, a sus espaldas, los animales
se agitan. Los caballos se encabritan, los
camellos **braman** y se levantan.
Los hombres, inquietos, vienen a calmarlos.
Pero la tormenta comienza a retumbar
sordamente en la montaña y nubes oscuras
tapan la luna.
Las bestias aterrorizadas chocan unas
con otras. Un burro pequeño logra desatarse
y se separa de la manada.
—¡Voy a buscarlo! —exclama Omar.
Louna lo ve desaparecer en la noche.

# Capítulo 3

## Las piedras...
## ¡mágicas!

La fiesta continúa en el campamento
mientras se desata la tormenta. Nubes
de arena lo cubren todo a su paso.
Por suerte, los **nómadas** están a salvo
y finalmente se acaba la tormenta.
Pero Omar no ha vuelto. En la agitación
general, nadie se da cuenta, excepto Louna,
que está inquieta y les avisa a sus padres.
Los **nómadas** y los aldeanos parten
juntos a buscarlo.

Alumbrados por antorchas que resplandecen
en la noche, recorren las cuestas y despejan
los montones de arena acumulados contra
las rocas. Pronto será de día y Omar
no aparece. Todos están desesperados.

Louna llora y mira al cielo. De pronto, entre las lágrimas, percibe un destello. A lo lejos, por encima de un montículo de arena, cinco estrellas brillan como un círculo de luz.

–¡Tenemos que buscar por allá! –exclama
Louna y hace que todos la sigan hasta la duna.
Mientras excavan, Louna escucha de repente
la voz de Omar. Refugiado en una gruta
con el pequeño burro aterrorizado, no podía
quitar la arena que bloqueaba la entrada.

Afortunadamente, las estrellas mágicas resbalaron de la hebilla y revelaron dónde se encontraba Omar. Él está a salvo.

Más tarde, mientras Omar y su familia
se preparan para seguir su camino, Louna
los mira suspirando. A ella también
le gustaría viajar y conocer otros países.
Omar murmura algo al oído de su padre
y le extiende la mano a Louna.
–¿Quieres dar un paseo conmigo?
–le pregunta.

Sentados en el lomo de un gran camello,
Louna y Omar se mecen al ritmo lento
del animal. Prometen encontrarse cuando
sean más grandes para recorrer juntos
el mundo. En el cielo, cinco estrellas
resplandecientes los cuidan.

# A jugar con Louna

### ¿Verdadero o falso?

Louna vive en un pueblo grande.

### ¿Por qué se instalan los nómadas cerca de la aldea de Louna?

1. Porque Omar está enamorado de Louna.
2. Porque quieren quedarse ahí para siempre.
3. Para refugiarse al pie de un acantilado de la tormenta que se avecina.

### ¿Qué está haciendo la mamá de Omar cuando Louna la conoce?

1. Prepara la comida.
2. Teje una alfombra.
3. Descansa.

### ¿Cómo reacciona Omar cuando Louna le entrega su regalo?

1. Se decepciona.
2. Se burla de ella.
3. Promete conservarlo toda la vida.

Respuestas: Falso. 3. 2. 3.

# ¿Qué hebilla le regala Louna a Omar?

1.
2.
3.

Respuesta: 3.

# Encuentra el cuadro correcto para completar el dibujo:

1.

2.

3.

Respuesta: 2.

# Dentro de la misma colección, podrás encontrar:

## ¡Tu opinión es importante!

Escríbenos un e-mail a
**miopinion@vreditoras.com**
con el título de este libro en el "Asunto".

Conócenos mejor en: **www.vreditoras.com**

🇫 🇮 **vreditorasmexico**

🇽 **vreditoras**

Título original: *Louna et les étoiles magiques*
Dirección editorial: Marcela Luza
Edición: Margarita Guglielmini y Florencia Cardoso
Armado: María Natalia Martínez

© EDITIONS PLAY BAC, 14bis rue des Minimes, 75003, Paris, France, 2016

© 2019 Vergara y Riba Editoras, S. A. de C. V.
www.vreditoras.com

México: Dakota 274, Colonia Nápoles
C. P. 03810 - Del. Benito Juárez, Ciudad de México
Tel./Fax: (52-55) 5220-6620/6621 • 01800-543-4995
e-mail: editoras@vergararriba.com.mx

Argentina: San Martín 969 piso 10 (C1004AAS)
Buenos Aires • Tel./Fax: (54-11) 5352-9444 y rotativas
e-mail: editorial@vreditoras.com

Primera edición: febrero de 2019

ISBN: 978-607-8614-29-5

Impreso en México en Editorial Impresora Apolo, S. A. de C. V.
Centeno 150, local 6, Granjas Esmeralda, Iztapalapa, C. P. 09810, Ciudad de México.